LEARNING CURSIVE

BEGINNER'S HANDWRITING WORKBOOK

LETTERS, CONNECTIONS & WORDS

JUNE & LUCY kids

Email us at FREEBIES @JUNELUCY.COM
to get a FREE printable download!

FOR A LITTLE INSPIRATION
follow along at:

⬡ @JUNEANDLUCY

⬢ @JUNEANDLUCY

WWW. JUNELUCY.COM

Shop our other books at
www.junelucy.com

Wholesale distribution through Ingram Content Group
www.ingramcontent.com/publishers/distribution/wholesale

For questions and customer service, email us at
support@junelucy.com

practice makes perfect
FREE DOWNLOAD!

WWW.JUNELUCY.COM/LLC2

 @JUNEANDLUCY

 @JUNEANDLUCY

JUNE & LUCY kids

Now let's try LOWERCASE

a a a a a a a

a a a a a a

a a a a a a

a

Now let's try LOWERCASE

b b b b b b b

b b b b b b

b b b b b b

b

Now let's try LOWERCASE

c c c c c c c c

c c c c c c c c c c

c c c c c c

c

Now let's try LOWERCASE

d

Now let's try LOWERCASE

e e e e e e e

e e e e e e

e e e e e e

e

Now let's try LOWERCASE

Now let's try LOWERCASE

g g g g g g

g g g g g g

g g g g g g

g

Now let's try LOWERCASE

h *h* *h* *h* *h* *h* *h* *h*

h *h* *h* *h* *h* *h* *h*

h *h* *h* *h* *h* *h* *h*

h

Now let's try LOWERCASE

i   i   i   i   i   i

i   i   i   i   i   i

i   i   i   i   i   i

i

Now let's try LOWERCASE

Now let's try LOWERCASE

Now let's try LOWERCASE

$\ell\ \ell\ \ell\ \ell\ \ell\ \ell\ \ell$

$\ell\ \ell\ \ell\ \ell\ \ell\ \ell\ \ell$

$\ell\ \ell\ \ell\ \ell\ \ell\ \ell$

ℓ

M m

m m m m m m m

m m m m m m m

m m m m m m

m

Now let's try LOWERCASE

m m m m m m m m

m m m m m m m m

m m m m m m m

m

Nn

n n n n n

n n n n n

n n n n n

n

Now let's try LOWERCASE

n n n n n n n

n n n n n n n

n n n n n n n

n

Now let's try LOWERCASE

Now let's try LOWERCASE

p p p p p p p

p p p p p p

p p p p p p

p

believe in Magic

Now let's try LOWERCASE

Now let's try LOWERCASE

r r r r r r

r r r r r r

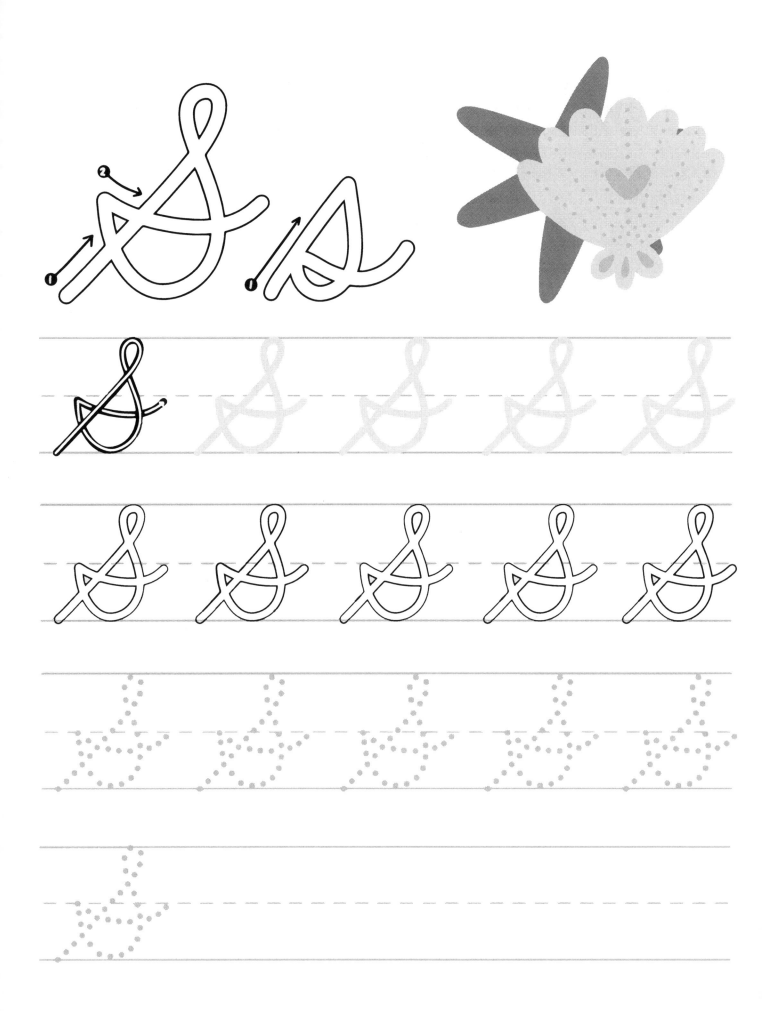

Now let's try LOWERCASE

Now let's try LOWERCASE

U u

Now let's try LOWERCASE

u u u u u u

u u u u u u

Now let's try LOWERCASE

Be a
MERMAID
and make
WAVES

Now let's try LOWERCASE

w w w w w w w

w w w w w w w w w

w w w w w w

w

Now let's try LOWERCASE

x x x x x x x

x x x x x x

x x x x x x

x

Now let's try LOWERCASE

y y y y y y y

y y y y y y

y y y y y

y

Now let's try LOWERCASE

CONNECTING
LOWERCASE LETTERS

aa

aa aa aa aa

an an an an

ad ad ad ad

at at at at

as as as as

bb

ba ba ba ba

be be be be

bi bi bi bi

bo bo bo bo

br br br br

ca ca ca ca

ce ce ce ce

ci ci ci ci

co co co co

cr cr cr cr

dd

da da da da

de de de de

di di di di

do do do do

dr dr dr dr

ee

ee ee ee ee ee

ea ea ea ea ea

en en en en en

et et et et et

es es es es es

Ff

fa fa fa fa

fe fe fe fe

fi fi fi fi

fo fo fo fo

fr fr fr fr

g g

ga ga ga ga

ge ge ge ge

gi gi gi gi

go go go go

gr gr gr gr

hh

ha ha ha ha

he he he he

hi hi hi hi

ho ho ho ho

hu hu hu hu

ii

ir   ir   ir   ir

ia   ia   ia   ia

in   in   in   in

it   it   it   it

is   is   is   is

j j

ja ja ja

je je je

ji ji ji

jo jo jo

ju ju ju

kk

ka ka ka ka

ke ke ke ke

ki ki ki ki

ko ko ko ko

kr kr kr kr

ll

la la la la

le le le le

li li li li

lo lo lo lo

lu lu lu lu

mm

ma ma ma ma

me me me me

mi mi mi mi

mo mo mo mo

mu mu mu mu

nn

na na na / na na

ne ne ne / ne ne

ni ni ni / ni ni

no no no / no no

nu nu nu / nu nu

or or or

oa oa oa

on on on

ot ot ot

os os os

Pp

pl pl pl pl

pa pa pa pa

pe pe pe pe

pi pi pi pi

po po po po

qq

qa qa qa qa

qe qe qe qe

qi qi qi qi

qo qo qo qo

qu qu qu qu

rr

ra ra ra ra

re re re re

ri ri ri ri

ro ro ro ro

ru ru ru ru

sa sa *sa*

se se *se*

si si *si*

so so *so*

su su *su*

tt

ta ta ta ta

te te te te

ti ti ti ti

to to to to

tu tu tu tu

Uu

ur ur ur ur

ua ua ua ua

un un un un

ut ut ut ut

us us us us

V V

va va *va* va

ve ve *ve* ve

vi vi *vi* vi

vo vo *vo* vo

vu vu *vu* vu

ww

wa wa wa wa

we we we we

wi wi wi wi

wo wo wo wo

wu wu wu wu

Xx

xa xa xa xa

xe xe xe xe

xi xi xi xi

xo xo xo xo

xu xu xu xu

yy

ya ya ya ya

ye ye ye ye

yi yi yi yi

yo yo yo yo

yu yu yu yu

Zz

za   za   za   za

ze   ze   ze   ze

zi   zi   zi   zi

zo   zo   zo   zo

zu   zu   zu   zu

CONNECTING UPPERCASE LETTERS

Let's practice with
UPPERCASE LETTERS

Apple

Ball

Car

Dog

Egg

Let's practice with
UPPERCASE LETTERS

Let's practice with
UPPERCASE LETTERS

Kite

Lap

Mat

Nut

Owl

Let's practice with
UPPERCASE LETTERS

Play

Quit

Run

Star

Tree

Let's practice with
UPPERCASE LETTERS

Up

Very

Wax

Xray

Yak

Let's practice with
UPPERCASE LETTERS

CURSIVE WORDS
& practice

Practicing writing WORDS

axe *axe*

bead *bead*

play *play*

mail *mail*

stop *stop*

Practicing writing WORDS

hello hello

big big

wind wind

glove glove

monkey monkey

Practicing writing WORDS

sit sit

rust rust

hike hike

mop mop

fun fun

Now let's try your NAME!

Let's PRACTICE!

Let's PRACTICE!

Let's PRACTICE!

Let's PRACTICE!

Let's PRACTICE!

Let's PRACTICE!

Let's PRACTICE!

Let's PRACTICE!

Let's PRACTICE!

Let's PRACTICE!

Let's PRACTICE!

Made in the USA
Las Vegas, NV
01 November 2022

58574895R00061